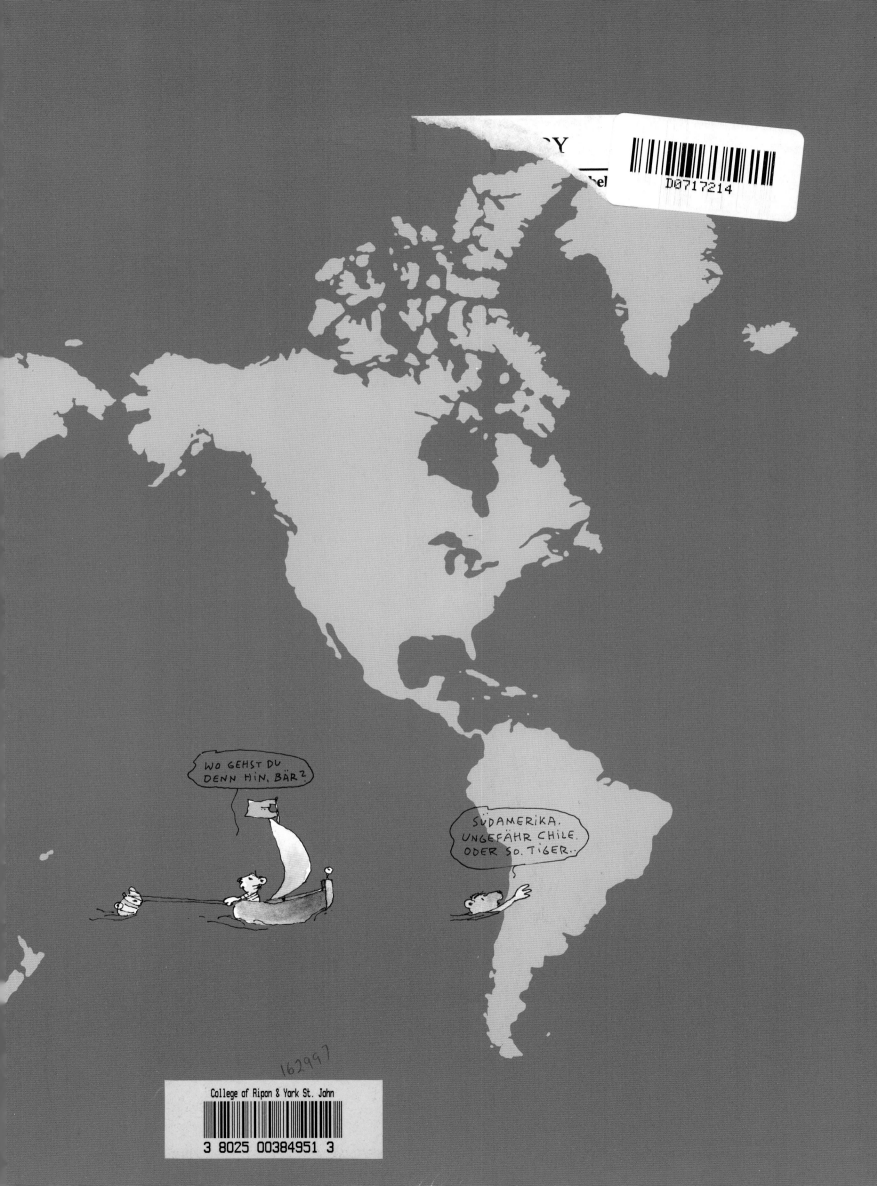

JANOSCH

GROSSER KLEINER TiGER-ATLAS

Mosaik Verlag

Einmal sagte der kleine Tiger
zum kleinen Bär:
»Rate mal, wo ich geboren bin!«
»Wolfenbüttel«, sagte der kleine Bär.
»Nein«, sagte der kleine Tiger.
»Dann Athen oder so.«

»Auch nicht.«
»Oder Remscheid-Achterbahn.«
»Dort schon gar nicht, alter Junge,
denn das kenne ich nicht.«

»Dann in Paris-London-Berlin und Köln am Rhein,
wo mein Onkel, der große dicke
Waldbär, wohnt.«
»Nein, nein, nein!« rief der kleine Tiger. »In Indien.«

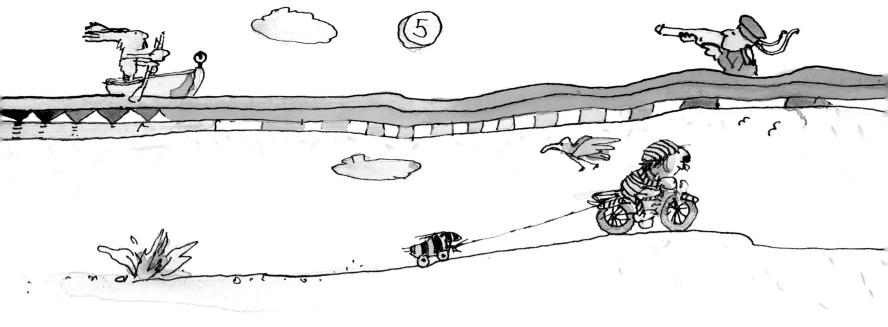

»Indien gibt es nicht«, brummte der kleine Bär, drehte sich um und wollte schlafen.

»Alle Tiger sind in Indien geboren«, rief der kleine Tiger und sprang auf den Tisch.

Indes der kleine Bär schon schnarchte.

Wegen des Lärms stand er aber wieder auf, nahm Schaufel und Korb und wollte in den Garten gehen, Petersilienwurzeln graben.

»Ich werde dir Indien zeigen«, sagte der kleine Tiger, »weil Maja Papaya einen Atlas hat.«

Der kleine Tiger schwang sich auf sein Tiger-Bikel und raste hastdudenhasennicht-gesehenwieerläuftsoschnell und holte Maja Papaya mitsamt ihrem Atlas.

»Ein Atlas heißt Atlas«, sagte Maja Papaya, »weil eine alte Geschichte erzählt, daß der Riese Atlas das Himmelsgewölbe auf seinen Schultern trägt.«

»Ist total keine Kunst«, rief der kleine Tiger. »Das kann jeder. Weil der Himmel nichts wiegt. Der Himmel ist Luft, und Luft wiegt nichts.«

»In einem Atlas befinden sich die Landkarten aller Länder der Erde, und die Erde ist ein Planet und schwebt im Kosmos. Keiner kann sagen, wie groß der Kosmos ist, er ist so unendlich wie die Ewigkeit. Beide haben keinen Anfang und kein Ende.«

»Ha!« rief der glückliche Maulwurf, »die Ewigkeit fängt hier an meinem Finger an, dann geht sie ganz herum um den Kosmos und hört hier an meinem Finger wieder auf. So ist das.«

Hier an meinem Finger beginnt die Ewigkeit.

Aber auch an meiner schärfen Sense, ja!

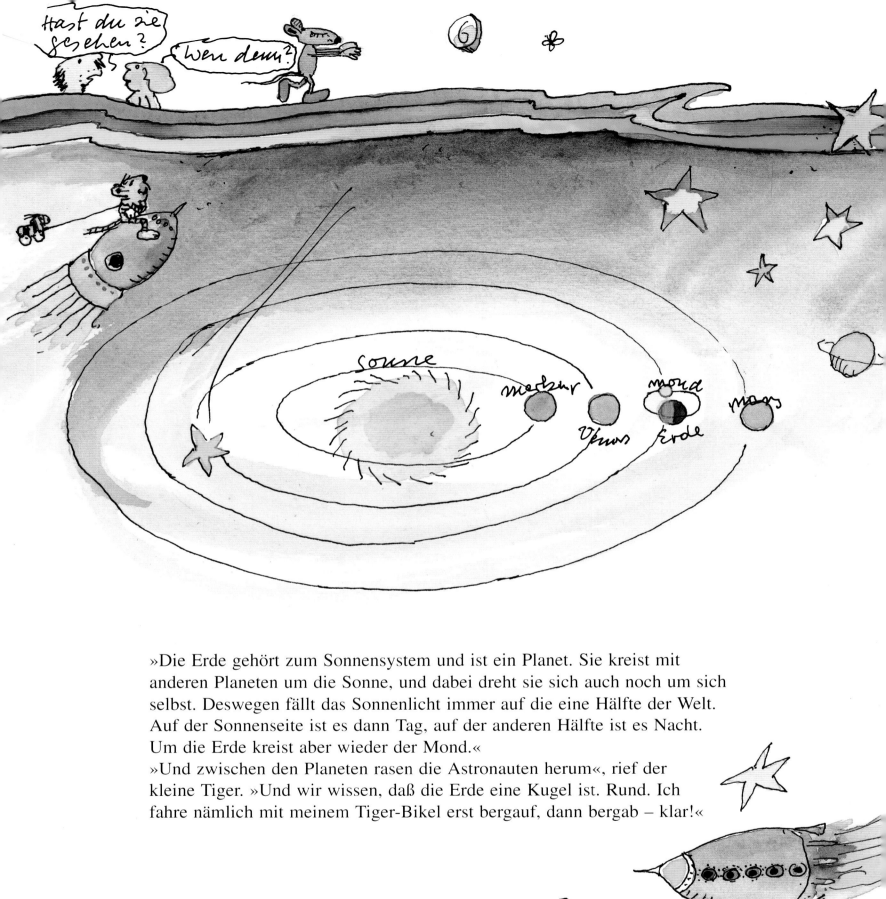

»Die Erde gehört zum Sonnensystem und ist ein Planet. Sie kreist mit anderen Planeten um die Sonne, und dabei dreht sie sich auch noch um sich selbst. Deswegen fällt das Sonnenlicht immer auf die eine Hälfte der Welt. Auf der Sonnenseite ist es dann Tag, auf der anderen Hälfte ist es Nacht. Um die Erde kreist aber wieder der Mond.«

»Und zwischen den Planeten rasen die Astronauten herum«, rief der kleine Tiger. »Und wir wissen, daß die Erde eine Kugel ist. Rund. Ich fahre nämlich mit meinem Tiger-Bikel erst bergauf, dann bergab – klar!«

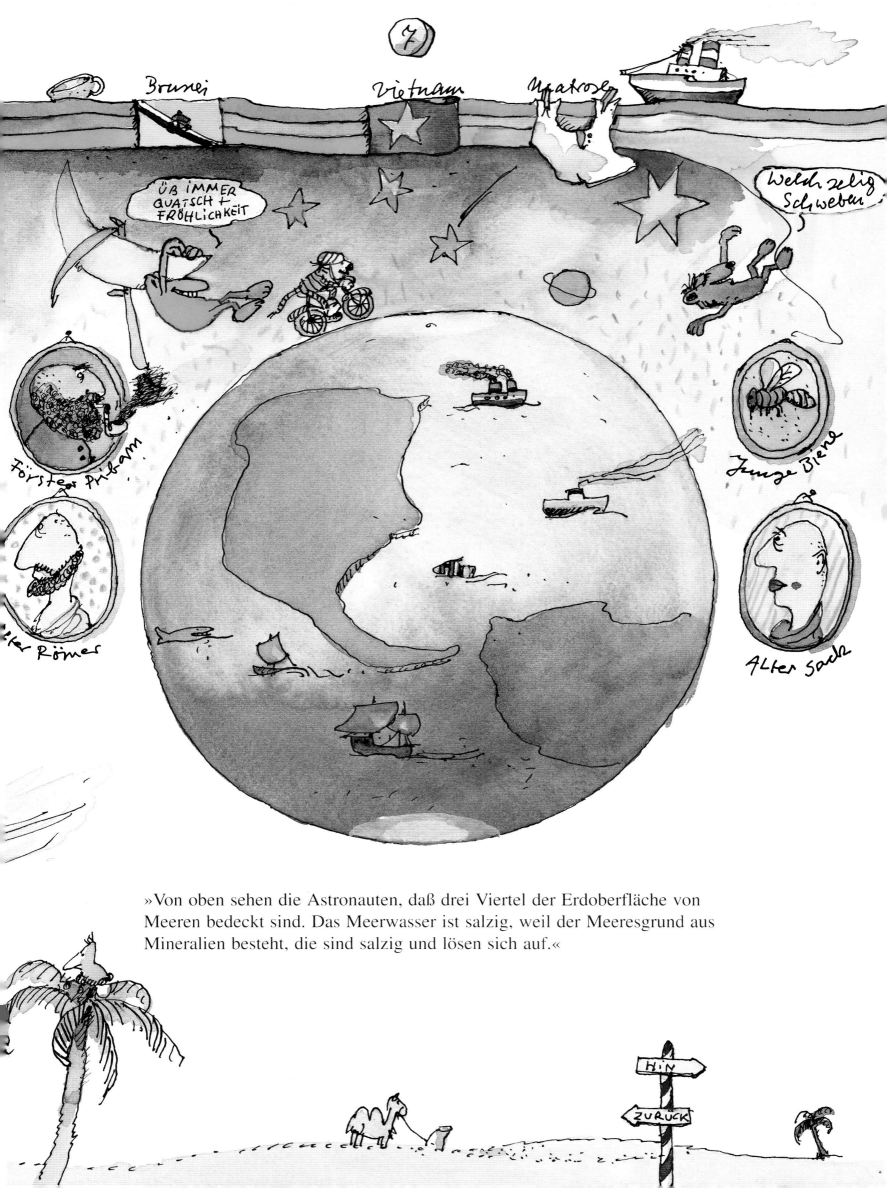

»Von oben sehen die Astronauten, daß drei Viertel der Erdoberfläche von Meeren bedeckt sind. Das Meerwasser ist salzig, weil der Meeresgrund aus Mineralien besteht, die sind salzig und lösen sich auf.«

Die drei größten Meere nennt man Ozeane. Es sind der Atlantische
Ozean, der Indische Ozean und der Pazifische Ozean.
Um den Nordpol herum gibt es das Nordpolarmeer und
um den Südpol das Südpolarmeer. Außerdem gibt es auf
der Erde noch etliche kleinere Meere. Zum Beispiel das
Mittelmeer, das Rote Meer, die Nordsee, die Ostsee.
Das Wasser der Meere ist immer in Bewegung. Von oben
und auch hier im Atlas sehen die sieben Erdteile oder Kontinente
wie große Inseln in den Weltmeeren aus:
Europa, Asien, Afrika, Nordamerika, Südamerika, Australien, Antarktika.

»Und auf den Meeren rasen die Seeräuber mit ihren Schiffen und zerschellen
an den Klippen. Wummmmtrallala!« sang der glückliche Maulwurf in seinem
Turnschuh, denn er träumte von der christlichen Seefahrt
der wilden Maulwürfe.

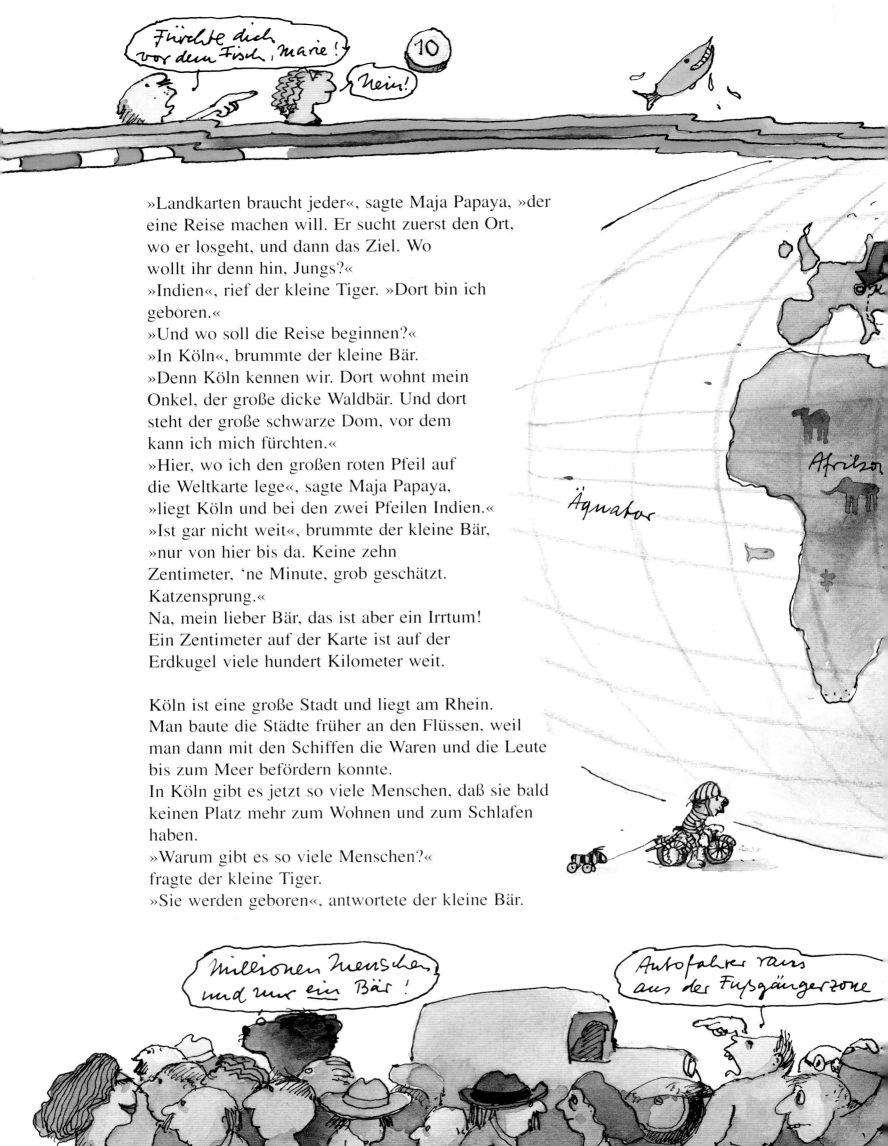

»Landkarten braucht jeder«, sagte Maja Papaya, »der
eine Reise machen will. Er sucht zuerst den Ort,
wo er losgeht, und dann das Ziel. Wo
wollt ihr denn hin, Jungs?«
»Indien«, rief der kleine Tiger. »Dort bin ich
geboren.«
»Und wo soll die Reise beginnen?«
»In Köln«, brummte der kleine Bär.
»Denn Köln kennen wir. Dort wohnt mein
Onkel, der große dicke Waldbär. Und dort
steht der große schwarze Dom, vor dem
kann ich mich fürchten.«
»Hier, wo ich den großen roten Pfeil auf
die Weltkarte lege«, sagte Maja Papaya,
»liegt Köln und bei den zwei Pfeilen Indien.«
»Ist gar nicht weit«, brummte der kleine Bär,
»nur von hier bis da. Keine zehn
Zentimeter, 'ne Minute, grob geschätzt.
Katzensprung.«
Na, mein lieber Bär, das ist aber ein Irrtum!
Ein Zentimeter auf der Karte ist auf der
Erdkugel viele hundert Kilometer weit.

Köln ist eine große Stadt und liegt am Rhein.
Man baute die Städte früher an den Flüssen, weil
man dann mit den Schiffen die Waren und die Leute
bis zum Meer befördern konnte.
In Köln gibt es jetzt so viele Menschen, daß sie bald
keinen Platz mehr zum Wohnen und zum Schlafen
haben.
»Warum gibt es so viele Menschen?«
fragte der kleine Tiger.
»Sie werden geboren«, antwortete der kleine Bär.

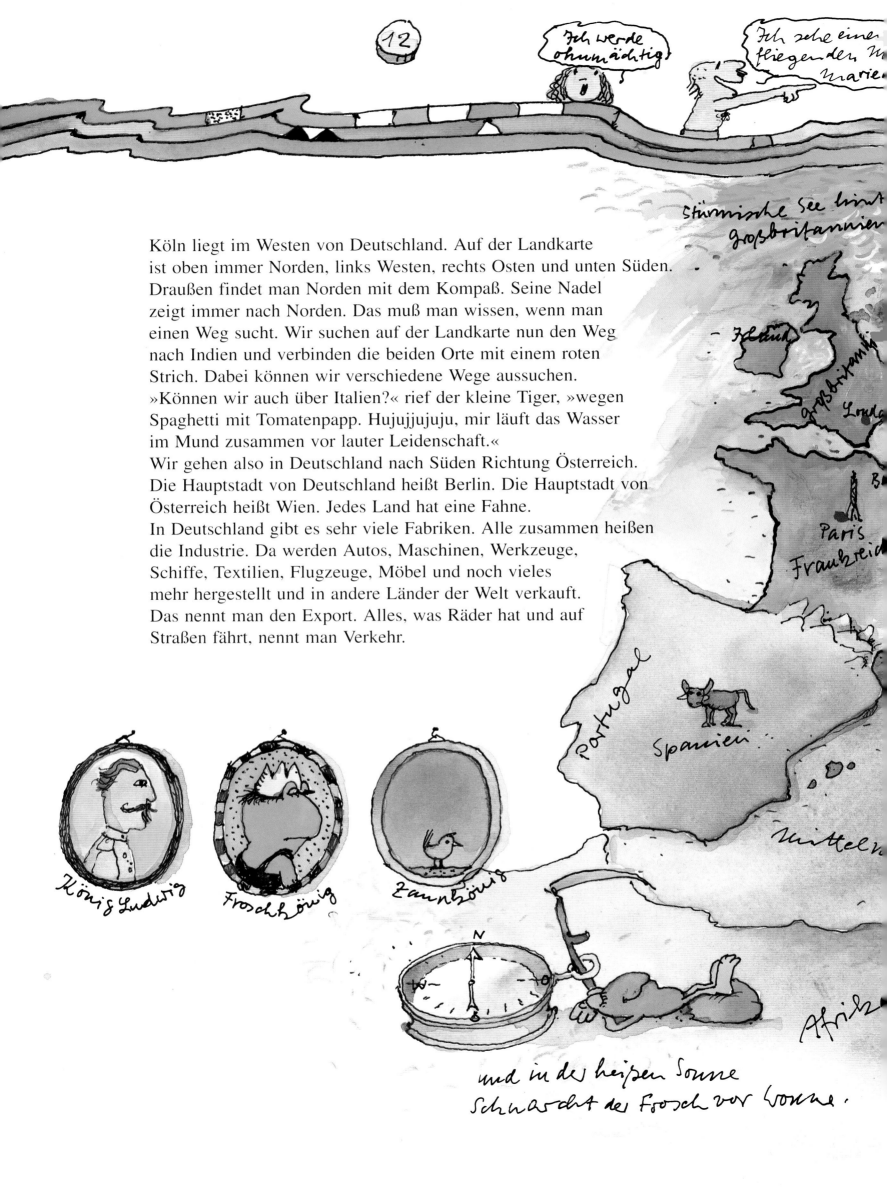

Köln liegt im Westen von Deutschland. Auf der Landkarte
ist oben immer Norden, links Westen, rechts Osten und unten Süden.
Draußen findet man Norden mit dem Kompaß. Seine Nadel
zeigt immer nach Norden. Das muß man wissen, wenn man
einen Weg sucht. Wir suchen auf der Landkarte nun den Weg
nach Indien und verbinden die beiden Orte mit einem roten
Strich. Dabei können wir verschiedene Wege aussuchen.
»Können wir auch über Italien?« rief der kleine Tiger, »wegen
Spaghetti mit Tomatenpapp. Hujujjujuju, mir läuft das Wasser
im Mund zusammen vor lauter Leidenschaft.«
Wir gehen also in Deutschland nach Süden Richtung Österreich.
Die Hauptstadt von Deutschland heißt Berlin. Die Hauptstadt von
Österreich heißt Wien. Jedes Land hat eine Fahne.
In Deutschland gibt es sehr viele Fabriken. Alle zusammen heißen
die Industrie. Da werden Autos, Maschinen, Werkzeuge,
Schiffe, Textilien, Flugzeuge, Möbel und noch vieles
mehr hergestellt und in andere Länder der Welt verkauft.
Das nennt man den Export. Alles, was Räder hat und auf
Straßen fährt, nennt man Verkehr.

»Auch mein Tiger-Bikel und meine Tigerente haben Räder«, rief der kleine Tiger, »dadurch sind wir der Verkehr. Oder was?«

Wir gehen über die Alpen und ein kleines Stück durch Österreich. Und schon sind wir in Italien. Die Hauptstadt von Italien heißt Rom, dort wohnt der Papst. Italien sieht aus dem Weltall aus wie ein Stiefel, ist eine Halbinsel und liegt im Mittelmeer. Es gibt dort zwei große Vulkane, den Ätna und den Vesuv. Ein Vulkan speit manchmal Feuer, weil es tief in der Erde noch sehr heiß ist und das Feuer an manchen Stellen ausbricht.
Die schönste Stadt von Italien ist Venedig. Dort sind Paläste wie aus einem Märchen auf Pfähle ins Wasser gebaut. So viele Leute wollen Venedig sehen, daß die Stadt durch das Gewicht der Menschen einmal versinken könnte. Manchmal wird sie deswegen gesperrt.
Zu Italien gehören zwei größere Inseln, Sardinien und Sizilien, und ein paar kleinere Inseln. Die größten Städte sind Rom, Mailand, Turin und Genua.
Die größten Flüsse sind der Po und der Tiber.
Rom liegt am Tiber, Mailand am Po.

In Venedig gibt es kaum Straßen. Kirchen, Häuser und
Paläste sind von Wasser umgeben. Alles wird auf Gondeln
transportiert. In Pisa steht ein Turm, der ist so schief,
daß er eines Tages umfallen wird, wenn niemand ihn
rettet.
Die meisten Leute fahren nach Italien, um sich in die
Sonne zu legen und zu baden. Andere, um italienisch
zu essen oder wegen der Kunstschätze. Aber fast alle
fahren, weil es dort wärmer ist. Und wärmer ist es,
weil Italien näher am Äquator liegt als Deutschland.

»Mit dem Äquator ist das so: Dort wo der Abstand von der Erdkugel zur Sonne
am kleinsten ist, ist die Hitze am größten. Klar?

Das ist in der Mitte. Und diese Mitte heißt Äquator«, sagte Maja Papaya.

»Zum Nordpol und zum Südpol kommt die Sonne so wenig hin,

daß dort seit Ewigkeiten das Eis nicht schmilzt.

Am Nordpol und am Südpol ist es also am kältesten.

Alles ist weiß: die Eisberge, die Eisbären.«

»Ich habe dort einen Onkel«, rief der kleine Bär, »der heißt Eisbär –
Großer-Dicker-Eisbär.«

»Aber nicht alles ist weiß«, rief der glückliche Maulwurf.

»Die Robben nämlich sind schwarz.

Die Pinguine tragen einen schwarzen Frack.

Und so weiter. Wenn du etwas sagst,

muß es auch ungefähr genau richtig sein. Ja?«

»Am heißesten ist es in Afrika, weil in seiner Mitte der Äquator liegt.«

größte Entfernung

kleinste Entfernung

Äquator

Großer-Dieben-Eisbär

Pinguin

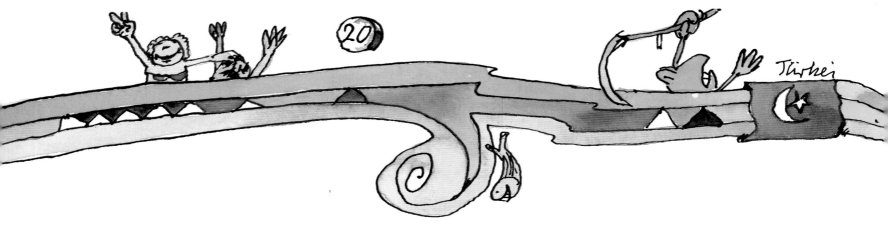

»In Afrika gibt es keinen Winter, aber viel Wüste. Die Sahara ist die größte Wüste der Erde. Afrika ist ein Riesenkontinent und besteht aus über 50 Staaten und hat fast 600 Millionen Einwohner, die tausend verschiedene Sprachen sprechen.«

»Hujujujui, tausend Sprachen! Ist ja der totale Heuler«, rief der kleine Tiger, »könnte ich nie lernen.«

»In Afrika gibt es sehr schöne Menschen. Am schönsten sehen die Tuareg aus.«

»Ich bin ein Tuareg!« rief der kleine Tiger.

»Viele Afrikaner sind schwarz. Manchmal ist es dort so trocken und heiß, daß die Menschen verhungern und verdursten. Oben im Norden sprudeln Ölquellen, und manche Scheichs sind unendlich reich.

In Afrika gibt es unzählbar viele und schöne Tiere: Elefanten, Löwen, Leoparden, Giraffen, Zebras, Nashörner, Büffel, Antilopen. Sie leben auch in großen Tierparks, wo sie nicht mehr ausgerottet werden dürfen.

In Südafrika wird Gold gefunden, und es gibt Diamantminen. Schwarze werden dort auch heute noch von Weißen unterdrückt. Unser Weg geht nicht durch Afrika.«

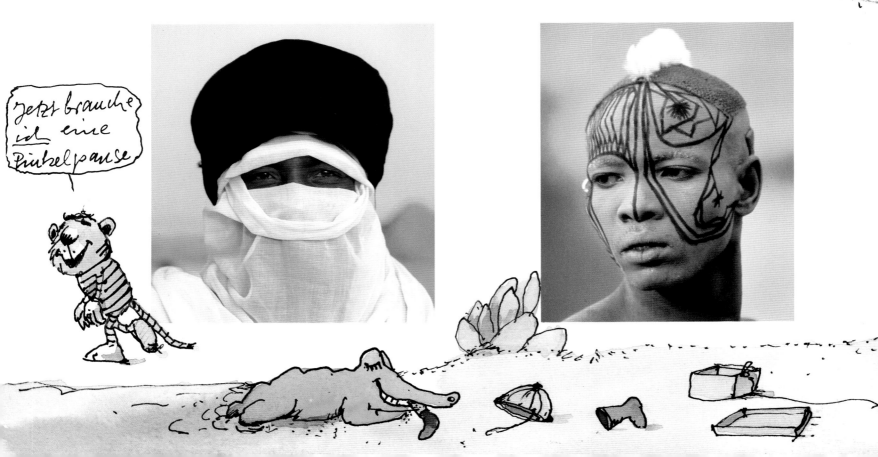

Jetzt brauche ich eine Pinkelpause

»Wir fahren von Italien über das Mittelmeer und durch Griechenland.
Griechenland gehört zu Europa. Europa ist der zweitkleinste Kontinent der
Erde und besteht aus 37 Staaten. Hier leben mehr als 650 Millionen Menschen.
Griechenland gehört zu den Balkanländern. Seine Hauptstadt ist Athen.
Griechenland hat viele schöne Inseln. Früher haben hier die griechischen Götter
gewohnt. Wir ziehen weiter in die Türkei.«
»Oh, die Türkei!« rief der kleine Tiger. »Ich habe eine Freundin, die ist Türkin.
Die Türkei lieben wir, denn dort gibt es türkischen Honig und Baklava –
hujujujujui, das begeistert mein Gemüt.«
»Die Hauptstadt der Türkei ist Ankara«, sagte Maja Papaya. »Ein kleiner Teil der
Türkei gehört zu Europa, der größere zu Asien.«
Jetzt mußte der kleine Bär wieder mal pinkeln, kam aber schnell zurück, weil
er gleich um die Ecke an die Hauswand geschifft hatte, um nichts zu verpassen.
»Die größten Flüsse sind der Kizilirmak und der Euphrat. Die großen Städte heißen
Istanbul, Ankara, Izmir, Adana, Bursa und Gaziantep.«
»Jetzt ist's aber genug«, brummte der kleine Bär, »soviel kann ich mir nicht
merken. Wo ist endlich Indien?«
»Hier«, sagte Maja Papaya und zeigte es ihnen auf der Landkarte. Der kleine Tiger
sagte, er wolle mit dem Tiger-Bikel durch die Türkei radeln.
Na, mein lieber Tiger, da würdest du dich aber wundern! Die Türkei ist ein großes
Land. Auf der Landkarte sieht alles viel kleiner aus.

Sie waren am Kaukasus vorbei über das Kaspische Meer und nach Afghanistan und Pakistan gereist. Und der kleine Bär hatte gesagt: »Im Kaukasus habe ich einen Onkel, der heißt Großer-Dicker-Russenbär. Wollt ihr ein Foto sehen?«

»Nein!« rief der glückliche Maulwurf, »du hast zu viele Onkel.«

Dann endlich waren sie in Indien.

»Oh, du Land meiner Väter!« rief der kleine Tiger. »Hier bin ich so gut wie sicher geboren. Wo seid ihr, Königstiger? Hier stehe ich, euer Königstigerenkel.«

Doch es kamen keine Tiger. Und Maja Papaya sagte:

»Die Menschen haben die Tiger fast ausgerottet. Es gibt nur noch sehr wenige, die verborgen im Dschungel leben.«

Da schwor der kleine Tiger den Menschen ewige Rache.

Indien hat 800 Millionen Einwohner. Viele Menschen sind so arm, daß sie auf den Straßen verhungern. Manche aber sind so reich, daß sie in goldenen Palästen wohnen.

Indien ist ein geheimnisvolles Land. Es gibt dort Menschen, die töten nie ein Lebewesen, nicht einmal eine Fliege. Sie essen kein Fleisch, und sie glauben, daß alle Lebewesen immer wiedergeboren werden.

Der größte Fluß ist der Ganges, und den Indern ist er heilig. Der Ganges ist unsagbar schmutzig, doch die Inder baden darin, und wenn sie krank sind, trinken sie das Wasser und werden gesund. Wenn man fest an etwas glaubt, dann tritt es ein. Auch wenn es anderen wie ein Wunder erscheint.

In Indien gibt es die Yogis. Das sind Heilige, die essen so gut wie nichts. Manche können in der Luft schweben oder sich begraben lassen und kommen nach zwanzig Tagen wieder aus dem Grab heraus.

Armes Hemd

Afghanistan

Pakistan

Himalaya

Nepal

Bhutan

Delhi

Lucknow
Kanpur

Dhaka

Indus

Ahmadabad

Brahmaputra

INDIEN

ganges

Kalkutta
golf von
Bengalen

Bombay

Heidarabad

madras

Indisches Ozean

mangalore

madurai

Taj-Mahal

colombo
Sri Lanka

Vietnam   Thailand   Indonesien

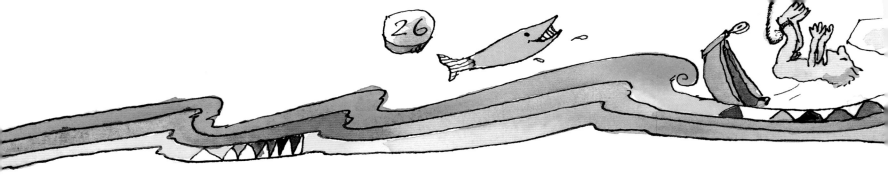

In den Städten laufen auf den Straßen Kühe herum. Sie können sich mitten
in den Verkehr legen, und niemand verjagt sie, denn Kühe sind in Indien heilig
und werden nie geschlachtet. Zum Ziehen der Pflüge dürfen sie benutzt werden.
Ihre Lasten packen die Inder auf Elefanten. Und wer reich ist, läßt sich in einer
Sänfte tragen. Im Norden von Indien liegt das Himalajagebirge mit dem höchsten
Berg der Welt, dem Mount Everest. Aus aller Welt fahren die Bergsteiger dort
hin, um den Rand der Ewigkeit zu spüren.
»Das brauche ich nicht«, brummelte der glückliche Maulwurf, »weil sich der Rand
der Ewigkeit überall befindet. Sogar auf dieser Erbse.«

»Die Bauern in Indien bauen Reis, Hirse, Weizen und Baumwolle an, aber
es reicht nicht, um die vielen Menschen zu ernähren. Und es werden immer
mehr geboren. In den Städten ist die Not am größten.

Die Hauptstadt von Indien heißt Delhi.
Andere große Städte sind Kalkutta, Madras, Bombay
oder Heidarabad.«

Der kleine Bär sagte, er wolle jetzt
lieber nach Hause.
Er habe Hunger.
Da schlug Maja Papaya im Atlas die
Seite mit der Weltkarte auf.

Nordpolarmeer

Grönland

Alaska

Kanada Hudson-bai

Pasifischer Ozean

USA

KANADA.

WOHIN GEHST DU, MARIE?

Atlantischer Ozean

Afrika

Mittel- und Süd=amerika

»Weil die Welt rund ist, müssen wir nur weiter nach Osten reisen und kommen dann von Westen her wieder zu Hause an.«

Afrikanischer Wanderfalter

Friedlicher Vogel überflog Cap Hoorn

Antar

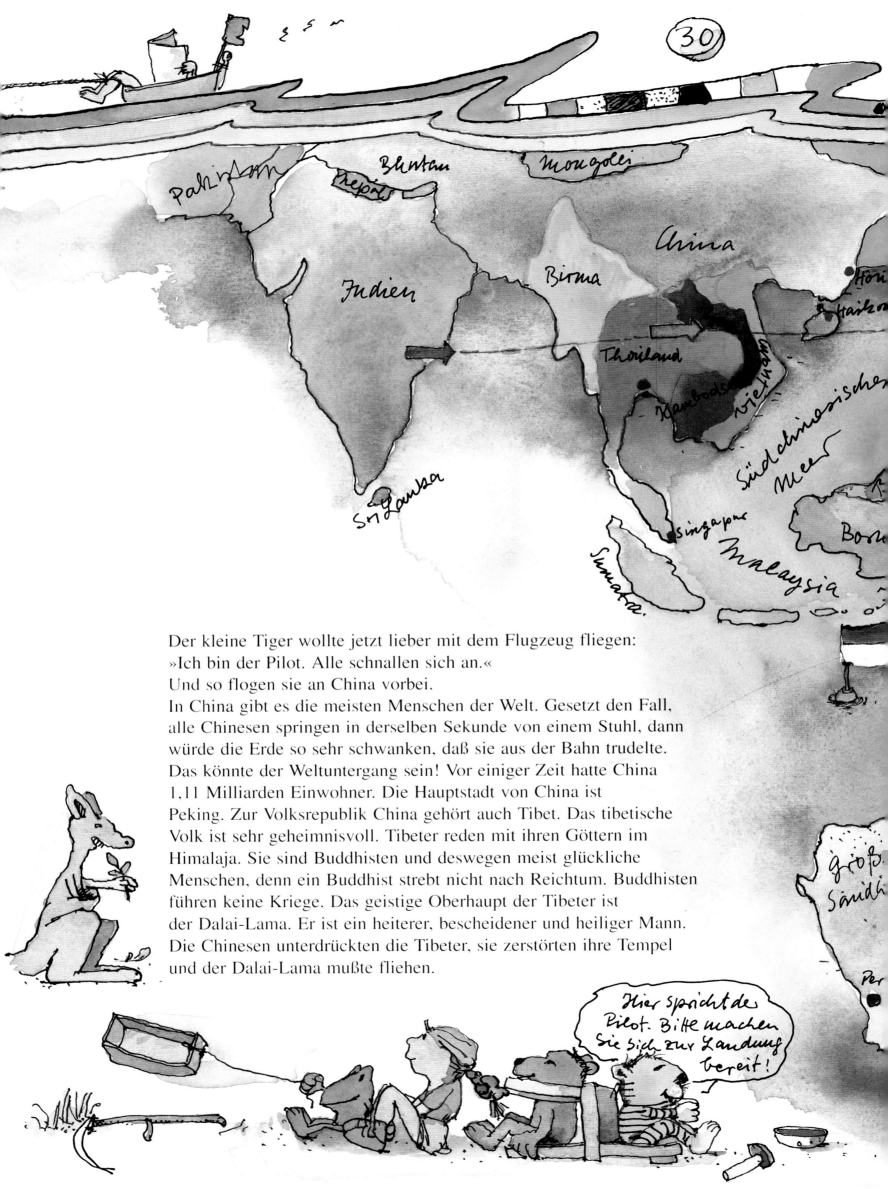

Der kleine Tiger wollte jetzt lieber mit dem Flugzeug fliegen:
»Ich bin der Pilot. Alle schnallen sich an.«
Und so flogen sie an China vorbei.
In China gibt es die meisten Menschen der Welt. Gesetzt den Fall,
alle Chinesen springen in derselben Sekunde von einem Stuhl, dann
würde die Erde so sehr schwanken, daß sie aus der Bahn trudelte.
Das könnte der Weltuntergang sein! Vor einiger Zeit hatte China
1,11 Milliarden Einwohner. Die Hauptstadt von China ist
Peking. Zur Volksrepublik China gehört auch Tibet. Das tibetische
Volk ist sehr geheimnisvoll. Tibeter reden mit ihren Göttern im
Himalaja. Sie sind Buddhisten und deswegen meist glückliche
Menschen, denn ein Buddhist strebt nicht nach Reichtum. Buddhisten
führen keine Kriege. Das geistige Oberhaupt der Tibeter ist
der Dalai-Lama. Er ist ein heiterer, bescheidener und heiliger Mann.
Die Chinesen unterdrückten die Tibeter, sie zerstörten ihre Tempel
und der Dalai-Lama mußte fliehen.

Bevor ein Dalai-Lama stirbt, nennt er den Namen
eines Kindes, das bald irgendwo in der Welt geboren
und sein Nachfolger wird.
Wenn wir von China nach Süden fliegen, erreichen
wir nach einigen Stunden Australien. Doch es
liegt nicht auf unserem Weg.

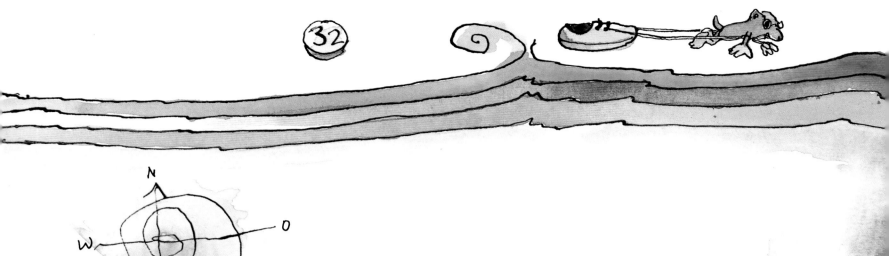

Australien ist der kleinste Kontinent. Seine Hauptstadt heißt Canberra.
In Australien lebten die Ureinwohner des Landes, die Aborigines, noch bis
vor kurzem wie in der Steinzeit. Sie sind dunkelhäutig, konnten magischen
Zauber vollbringen, und manche streifen auch heute noch mit Bumerang
und Speer umher. Man fand Felszeichnungen, die 20 000 Jahre alt sind.
Nach der Entdeckung Australiens durch James Cook kamen immer mehr
Weiße und verdrängten die Ureinwohner.
Australien ist ein heißes, trockenes Land. Hier wächst der Eukalyptusbaum,
und es gibt Känguruhs, Koalas, Krokodile, Dingos, Schafe
und viele Kaninchen.

Von China fliegen wir Richtung Osten geradeaus über den Pazifischen Ozean.
Japan liegt links von unserer Reiselinie.
»Japan kenne ich«, rief der kleine Bär. »Denn ein Freund von mir hat einen
japanischen Walkman. Und sein Vater hat ein japanisches Auto.«

Wenn wir weit genug geflogen sind, kommen wir nach Amerika.

Ich vergaß, zu
Haus das gas abzu-
drehen. Marie.

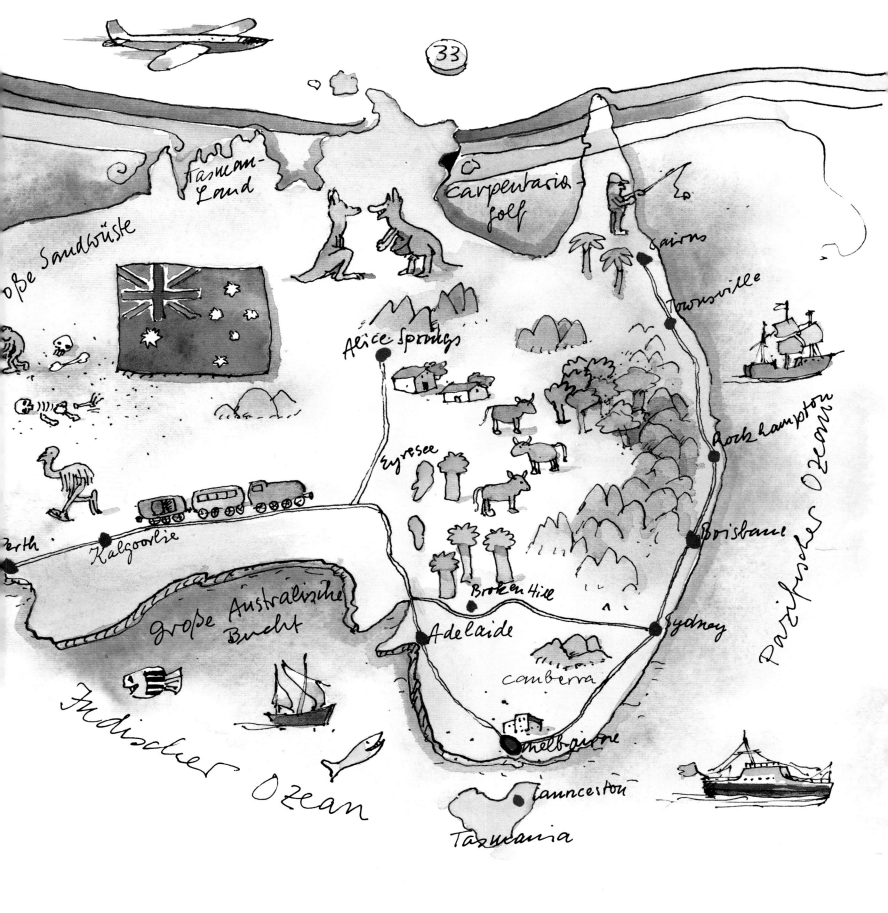

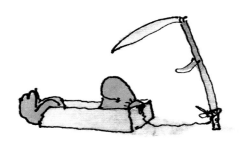

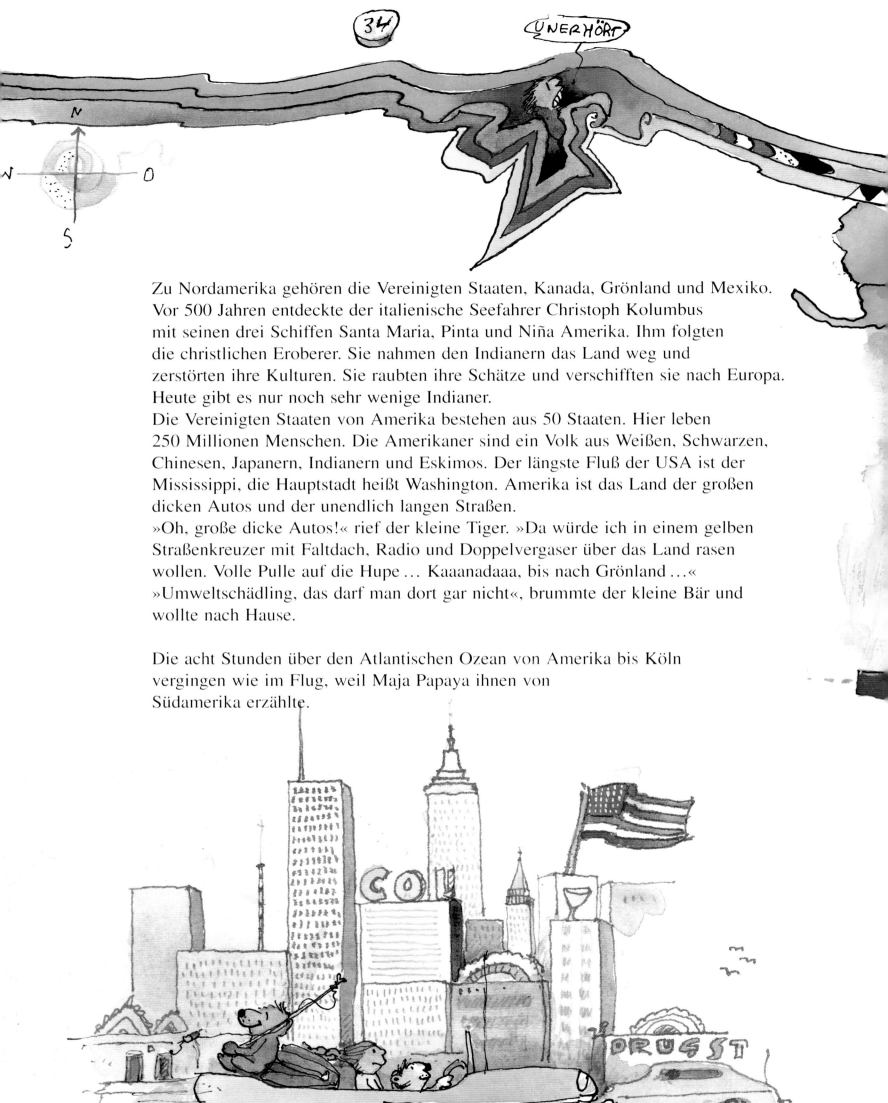

UNERHÖRT

Zu Nordamerika gehören die Vereinigten Staaten, Kanada, Grönland und Mexiko.
Vor 500 Jahren entdeckte der italienische Seefahrer Christoph Kolumbus
mit seinen drei Schiffen Santa Maria, Pinta und Niña Amerika. Ihm folgten
die christlichen Eroberer. Sie nahmen den Indianern das Land weg und
zerstörten ihre Kulturen. Sie raubten ihre Schätze und verschifften sie nach Europa.
Heute gibt es nur noch sehr wenige Indianer.
Die Vereinigten Staaten von Amerika bestehen aus 50 Staaten. Hier leben
250 Millionen Menschen. Die Amerikaner sind ein Volk aus Weißen, Schwarzen,
Chinesen, Japanern, Indianern und Eskimos. Der längste Fluß der USA ist der
Mississippi, die Hauptstadt heißt Washington. Amerika ist das Land der großen
dicken Autos und der unendlich langen Straßen.
»Oh, große dicke Autos!« rief der kleine Tiger. »Da würde ich in einem gelben
Straßenkreuzer mit Faltdach, Radio und Doppelvergaser über das Land rasen
wollen. Volle Pulle auf die Hupe … Kaaanadaaa, bis nach Grönland …«
»Umweltschädling, das darf man dort gar nicht«, brummte der kleine Bär und
wollte nach Hause.

Die acht Stunden über den Atlantischen Ozean von Amerika bis Köln
vergingen wie im Flug, weil Maja Papaya ihnen von
Südamerika erzählte.

Baffin-Insel

Baffinbai

Grönland

Victoria-Insel

Alaska

Hudsonbai

Neufundland

Mackenzie

Labrador

Kanada

Atlantischer Ozean

Montreal

Große Seen

New York

Missouri

chicago

Philadelphia

Washington

san Francisco

USA

Appalachen

Los Angeles

Arkansas

ohio

mississippi

Rio Grande

New Orleans

Bahamas

Pazifischer Ozean

Mexiko

Golf von Mexiko

Kuba

Dominikanische Republik

Mexiko City

Honduras

Guatemala

Nicaragua

costa Rica

Panama

Nordamerika

»Südamerika sieht aus wie ein auf die Spitze
gestelltes Dreieck. Dieser Kontinent besteht
aus zwölf Staaten. Der größte Staat ist Brasilien.
Die Hauptstadt von Brasilien heißt Brasilia. Der größte Fluß ist der
Amazonas mit den Regenwäldern. Die Regenwälder sind die Seele der
Welt, weil sie das Klima unserer Erde regulieren. Es gibt die wunderbarsten
Bäume und Pflanzen.
Doch die Menschen holzen die Wälder ab und vernichten Pflanzen und Tiere.«
»Warum tun sie das?« fragte der kleine Bär.
»Sie sagen, sie brauchen Ackerland. Aber das ist nicht wahr, denn das gerodete
Land eignet sich nicht dafür. Es wird nur eine Zeitlang als Weide für Schlachtvieh
genutzt. Die Menschen tun das, um damit Geld zu verdienen.«
»Der Mensch ist eine Sau«, brummte der kleine Bär und sagte, er sei froh, daß
er ein Bär ist.
»Sie verkaufen auch tropisches Holz, und dann macht man Möbel daraus.«
»Es gibt Bäume, die reichen bis zu sechzig Meter in den Himmel – fast halb
so hoch wie der Kölner Dom. Pro Tag werden Tausende und Abertausende
von ihnen gefällt …«
»Hör bloß auf«, rief der kleine Tiger und hielt sich die Ohren zu, »ich halt'
das nicht mehr aus.«
Und er war froh, als sie in Köln landeten.

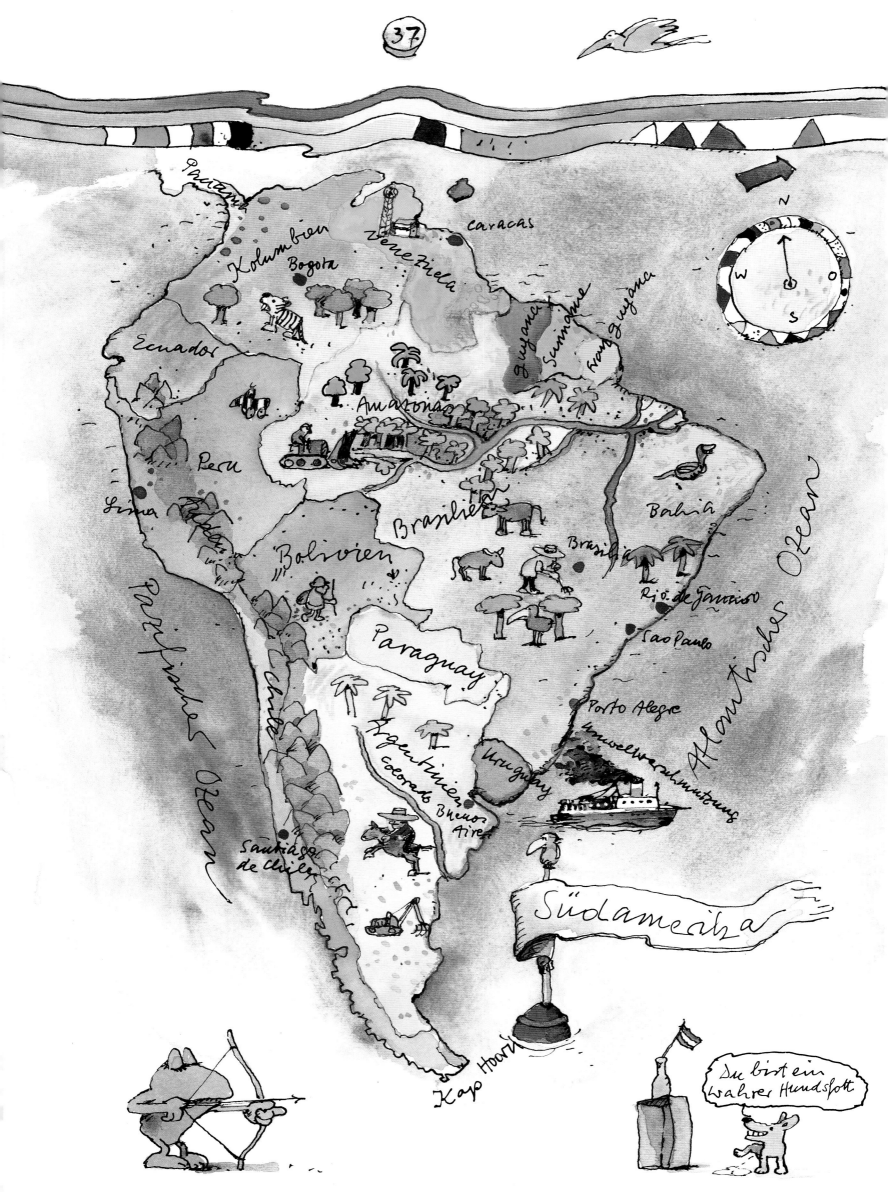

Südamerika

Du bist ein wahrer Hundsfott

Zu Hause schenkte Maja Papaya ihnen den wunderbaren
Atlas für immer und ewig, und der kleine Tiger jubelte:
»Jujujujui – das ist die totale Sause. Dann können
wir von nun beliebig jeden Tag eine Reise machen –
egal, wohin.«

Na, und in der Tat:
Was für ein Geschenk, ihr Leute!

Bildnachweis

Bilderberg der Fotografen/Ernsting 17
Rainer Binder 27 links + rechts oben
IFA-Bilderteam 8, 27 unten
INTERFOTO 24, 32 links
Leni Riefenstahl-Produktion 20 rechts
Silvestris 32 rechts, 38
ZEFA 20 links, Vor- und Hintersatz

Der Mosaik Verlag ist ein Unternehmen
der Verlagsgruppe Bertelsmann

© 1993 Mosaik Verlag GmbH, München / 5 4 3 2 1
Einbandgestaltung:
Martina Eisele unter
Verwendung einer Illustration von Janosch
Reproduktion:
Artilitho, Trento
Druck und Bindung:
Alcione, Trento

Printed in Italy · ISBN 3-576-10292-2